LE DRAGON DU ROI

LES TROIS VOLEURS · TOME 4

Catalogage avant publication de Bibliothèque et Archives Canada

Chantler, Scott
[King's dragon. Français]

       Le dragon du roi / Scott Chantler ; texte français de France
Gladu.

(Les trois voleurs ; t. 4)
Traduction de: The king's dragon.

ISBN 978-1-4431-3418-7 (couverture souple)

       1. Romans graphiques. I. Gladu, France, 1957-, traducteur
II. Titre. III. Titre: King's dragon. Français. IV. Collection: Chantler,
Scott. Les trois voleurs ; t. 4.

PN6733.C53K5614 2014   j741.5'971   C2013-907458-9

Édition publiée par les Éditions Scholastic, 604, rue King Ouest, Toronto
(Ontario) M5V 1E1, avec la permission de Kids Can Press Ltd.

5 4 3 2 1   Imprimé en Chine CP130   14 15 16 17 18

Conception graphique de Scott Chantler et Marie Bartholomew
Le texte a été composé avec la police de caractères Alterego BB.

LE DRAGON DU ROI

LES TROIS VOLEURS · TOME 4

Scott Chantler

Texte français de France Gladu

ACTE UN

LE CHEVALIER

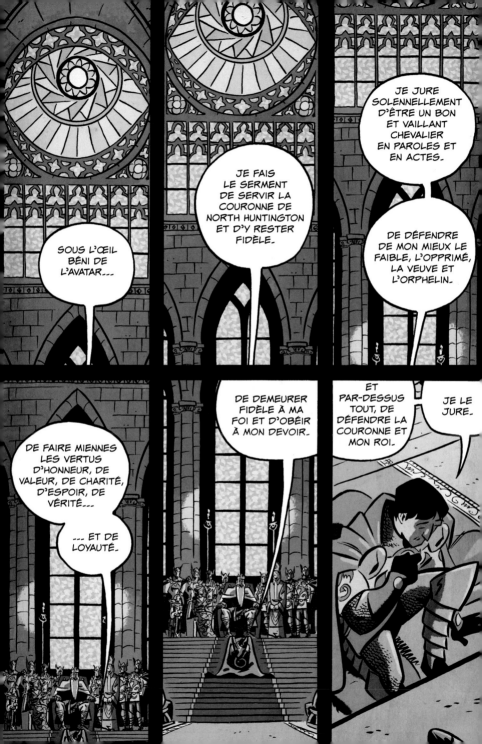

CAPITAINE? CAPITAINE DRAKE?

HUM?

MES EXCUSES, MESSIRE. JE... JE VOUS DEMANDAIS SEULEMENT SI TOUT ALLAIT BIEN.

POURQUOI CETTE QUESTION?

VOUS SEMBLIEZ...

EH BIEN... VOUS SEMBLIEZ À DES LIEUES D'ICI, L'ESPACE D'UN MOMENT.

COMME TU LE VOIS, JE SUIS BIEN LÀ, PHINÉAS.

FORT BIEN, ALORS.

MAIS S'IL S'AGIT D'UN REFUGE AUSSI PRÉVISIBLE, ILS DOIVENT *S'ATTENDRE* À NOTRE VISITE!

SANS DOUTE, MAIS ILS N'ONT PAS LE CHOIX.

L'UN D'EUX EST BLESSÉ, ET GRAVEMENT.

IL LUI FAUT UN ENDROIT POUR GUÉRIR À L'ABRI, ET LES GUÉRISSEURS PODHOUS FONT LE SERMENT DE NEUTRALITÉ À L'ÉGARD DE TOUTES LES AFFAIRES POLITIQUES.

JE PENSE QU'ILS SONT PRÊTS À RISQUER D'ÊTRE DÉCOUVERTS.

MAIS N'EST-IL PAS TROP TARD? EN FAIT, JE ME DEMANDE S'ILS SONT *TOUJOURS* LÀ.

S'ILS SONT LÀ, PHINÉAS...

JE LES TROUVERAI, MÊME SI JE DOIS TOUT METTRE À SAC.

GONG

Clac

BIENVENUE DANS LA MAISON DE LA GUÉRISON, MES AMIS.

COMMENT POUVONS-NOUS VOUS AI...?

NOUS SOMMES ICI SUR L'ORDRE DE SA MAJESTÉ LA REINE MAGDA DE NORTH HUNTINGTON.

J'AI TOUT LIEU DE CROIRE QUE VOUS ABRITEZ TROIS FUGITIFS QUI ONT ÉCHAPPÉ À NOTRE GARDE.

DES FUGITIFS...?

UNE ROUQUINE, UN NORKER ET UN ETTIN À UNE TÊTE QUI FONT ROUTE ENSEMBLE. ILS SONT FACILES À RECONNAÎTRE.

QU'EST-CE QUI VOUS FAIT CROIRE QU'ILS SONT VENUS DANS CETTE...

14

LA FILLE A LA JAMBE CASSÉE. ALORS? ILS SONT ICI? OUI OU NON?

JE CRAINS DE NE PAS AVOIR LA LIBERTÉ DE VOUS LE DIRE.

« LA LIBERTÉ DE ME LE DIRE? »

NOUS, LES PODHOUS, ACCUEILLONS QUICONQUE RECHERCHE LA GUÉRISON ET LA LUMIÈRE.

AIDER À LA CAPTURE DES QUELQUES MALHEUREUX AU PASSÉ OBSCUR QUI FRAPPENT À NOTRE PORTE SIGNIFIERAIT CESSER DE SOUTENIR CEUX QUI ONT LE PLUS BESOIN DE NOUS.

ET SI NOUS DÉCIDONS D'ENTRER ET DE CHERCHER QUAND MÊME, GUÉRISSEUR? QU'ARRIVERA-T-IL?

CAPITAINE DRAKE, NE FAITES PAS ÇA...

SI VOUS INSISTEZ POUR NOUS TUER, MES FRÈRES ET MOI, SANS MÊME ÊTRE SÛR QUE CES GENS SE TROUVENT ICI...

... SACHEZ QUE VOUS AGISSEZ SOUS L'ŒIL ATTENTIF DE L'AVATAR ET SUR UN TERRITOIRE QU'IL CONSIDÈRE COMME SACRÉ.

JE... JE SUIS DÉSOLÉ.

NOUS NE SOMMES PAS À NORTH HUNTINGTON, MESSIRE! VOUS ET VOS AMIS LES DRAGONS DE LA REINE N'ONT AUCUN POUVOIR, ICI.

CECI EST UNE MAISON DE GUÉRISON!

16

JE ME DEMANDE QUI C'ÉTAIT... ORMYR ET GRYLLUS, PEUT-ÊTRE?

PEU IMPORTE. JE ME DEMANDE SURTOUT *POURQUOI*.

QUE VOULEZ-VOUS DIRE?

VICTOR DE MÉDORIA A-T-IL DIT QU'IL AVAIT PARLÉ À *D'AUTRES* DRAGONS?

NON...

ALORS, COMMENT ONT-ILS SU QU'IL FALLAIT CHERCHER ICI?

18

ILS AVAIENT PEUT-ÊTRE EMMENÉ RYUU... IL EST NOTRE MEILLEUR TRAQUEUR...

PEUT-ÊTRE...

TU ES JEUNE, PHINÉAS, ET TOUJOURS PRÊT À VOIR LA BONTÉ DANS LES GENS...

ET J'EN SUIS CONTENT, CAR CELA SIGNIFIE QU'ILS NE T'ONT PAS ENCORE ATTEINT...

QU'ILS N'ONT PAS EMPOISONNÉ TON ESPRIT.

« ILS? » DE QUI PARLEZ-VOUS? DES DRAGONS?

CAPITAINE?

19

32

ACTE DEUX
L'ÉPREUVE

VOUS CROYEZ VRAIMENT QU'ILS SE CACHERAIENT DANS UNE CHARRETTE? ILS *DOIVENT* BIEN SAVOIR QUE NOUS SOMMES ICI...

JE NE PRÉTENDS PAS SAVOIR CE QUE FERONT CES VOYOUS, PHINÉAS.

TU AS UNE MEILLEURE IDÉE?

SANS VOULOIR DOUTER DE VOS DÉCISIONS, CAPITAINE, *RIEN* NE PEUT ÊTRE PIRE QUE DE RESTER LÀ À SURVEILLER LA PORTE.

QU'AS-TU DIT?

NOUS NE SAVONS MÊME PAS S'ILS SONT TOUJOURS *LÀ*, VOILÀ CE QUE JE VEUX DIRE. ET TANT QUE NOUS N'EN SOMMES PAS SÛRS...

TU AS RAISON.

J'IRAI VÉRIFIER À LA NUIT TOMBÉE, QUAND LES GUÉRISSEURS DORMIRONT.

SEUL?

SEUL.

TU FERAS LE GUET, AU CAS OÙ ILS TENTERAIENT DE FUIR PENDANT QUE JE SUIS À L'INTÉRIEUR.

ENTENDU.

LES GUÉRISSEURS PODHOUS ONT UNE MATINÉE BIEN OCCUPÉE....

EN EFFET.

HALTE!

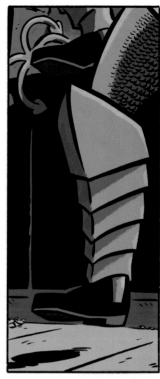

VOUS ÊTES
SEUL,
DRAKE?

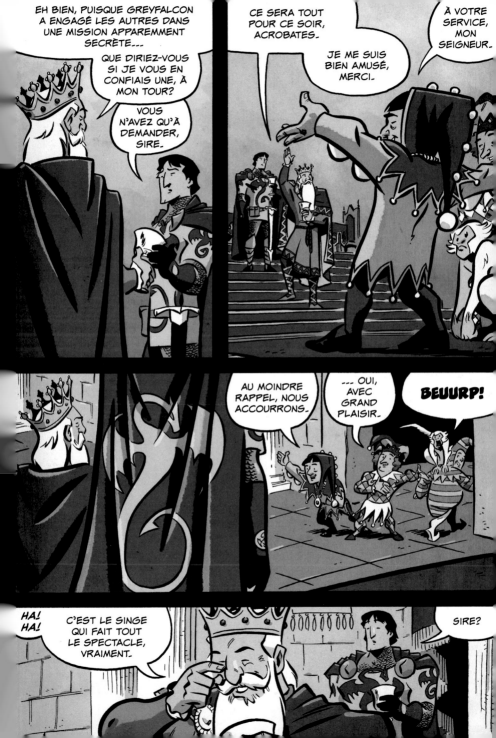

« À NOTRE RETOUR, J'AI DEMANDÉ À GREYFALCON DE ME RENDRE LA LETTRE.

MAIS IL NE L'A PAS FAIT, AFFIRMANT L'AVOIR DÉTRUITE EN APPRENANT NOTRE VICTOIRE. »

LA LETTRE CONTIENT DES RENSEIGNEMENTS... *COMPROMETTANTS*

ET SUSCEPTIBLES DE CAUSER DU TORT À LA COURONNE ET DE ME NUIRE.

JE N'AURAIS PAS DÛ LUI FAIRE CONFIANCE.

JE SUIS CONSCIENT DE LA CORRUPTION QU'IL A INSTAURÉE EN MON ABSENCE. JE NE COMPRENDS PAS QUE MAGDA N'AIT RIEN FAIT.

HÉLAS.

JE CRAINS QUE GREYFALCON N'AIT OUVERT LA LETTRE ET QU'IL NE VEUILLE UTILISER SON CONTENU À DES FINS INFÂMES.

JE LE SOUPÇONNE DE NE PAS AVOIR DÉTRUIT LA LETTRE ET QU'ELLE SE TROUVE TOUJOURS AU PALAIS.

MAIS MALGRÉ TOUS MES EFFORTS, JE N'AI PU DÉCOUVRIR OÙ GREYFALCON L'A CACHÉE.

COMME VOUS VOUS EN DOUTEZ, IL M'EST DIFFICILE DE ME DÉPLACER ICI SANS ATTIRER L'ATTENTION.

MAIS *VOUS*...

VOUS ÊTES DE GARDE TOUTE LA NUIT, ET COMME GREYFALCON ET LES AUTRES DRAGONS SONT SORTIS, VOUS POUVEZ CHERCHER PARTOUT SANS RISQUER D'ÊTRE REMARQUÉ.

SI LA LETTRE EST TOUJOURS AU PALAIS, SIRE, ELLE SERA ENTRE VOS MAINS AVANT LE LEVER DU JOUR.

SI VOUS LE PERMETTEZ, J'AIMERAIS COMMENCER TOUT DE SUITE.

JE VOUS FAIS CONFIANCE, DRAKE. MAIS PROMETTEZ-MOI DE NE PAS LIRE LA LETTRE SI VOUS LA TROUVEZ.

SON CONTENU EST... *PERSONNEL*.

JE SERS LE TRÔNE DE NORTH HUNTINGTON, SIRE.

VOS DÉSIRS SONT DES ORDRES.

GREYFALCON.

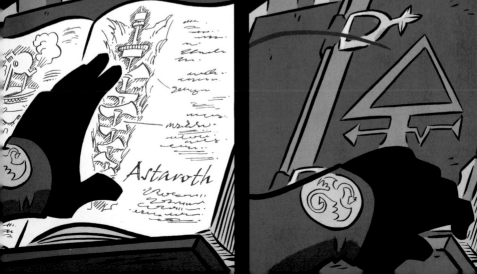

Astaroth

BIENVENUE, MES AMIS, DANS CETTE MAISON DE LA GUÉ...

OÙ AVEZ-VOUS TROUVÉ ÇA?

SANS DOUTE SERAIT-IL PLUS JUSTE DE DEMANDER OÙ *VOUS* L'AVEZ TROUVÉ, CHEVALIER.

JE NE PLAISANTE PAS. *OÙ L'AVEZ-VOUS TROUVÉ?*

DRAKE...

COMMENT **SAIS-TU** QUE CE LIVRE APPARTIENT À GREYFALCON?

TU CONNAIS QUELQU'UN **D'AUTRE** QUI CONSTRUIT DES MACHINES COMME CELLES-CI?

GREYFALCON!

VOUS SAVEZ QUI C'EST?

OUI. C'EST UN HOMME DUR.

CE N'EST PAS POSSIBLE.

NOS VOLEURS N'ONT PAS PU SE RETROUVER AU MÊME ENDROIT QUE GREYFALCON. ET DANS **CET** ENDROIT?

QUAND EST-IL VENU? ET POURQUOI?

ÉTAIT-IL BLESSÉ?

IL Y A QUELQUE TEMPS. TROIS LUNES AU MOINS. ET IL N'ÉTAIT PAS BLESSÉ.

IL VOULAIT VOIR LES **PIGEONS.**

DES PIGEONS VOYAGEURS, DRAKE?

GREYFALCON EN RECEVAIT SOUVENT, DANS SA CHAMBRE. D'OÙ POUVAIENT-ILS VENIR?

JE N'Y AI JAMAIS RÉFLÉCHI.

PARCE QUE *CE NE SONT PAS NOS AFFAIRES.*

PAR ICI, DRAGONS, PAR ICI.

ÉCARTE-TOI, FRAYNIR.

C'EST UN *ORDRE.*

NOUS, LES MEMBRES DE NOTRE ORDRE, GARDONS DES PIGEONS ICI DEPUIS DES SIÈCLES AFIN QUE LES MESSAGES PUISSENT ÊTRE TRANSMIS PARTOUT À TRAVERS LES SIX ROYAUMES.

DE HANBROOK JUSQU'À LA CÔTE D'ARGENT, DE MAGISHEAD JUSQU'AUX MONTAGNES,

ET MÊME AU-DESSUS DES FLOTS JUSQU'À L'ÎLE D'ASTAROTH.

SAUF VOTRE RESPECT, CAPITAINE...

... MÊME SI LES PIGEONS DE GREYFALCON VENAIENT D'ICI, QUEL RAPPORT CELA A-T-IL AVEC LE FAIT QUE NOS TROIS VOLEURS...

ATTENDS.

L'ÎLE DE *QUOI?*

ACTE TROIS
LA BLESSURE

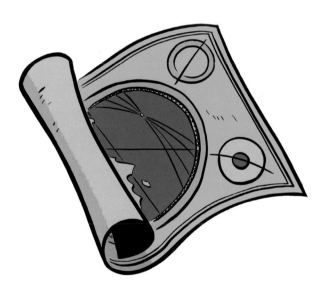

NOUS SAVONS À QUEL POINT CES TROIS-LÀ SONT FUTÉS. QUAND ILS AURONT QUITTÉ LA NEIGE, ILS FERONT TOUT POUR CAMOUFLER LEURS TRACES.

MALHEUREUSEMENT POUR EUX, RYUU PEUT PISTER UN POISSON DANS L'EAU.

COMMENT AVEZ-VOUS RETROUVÉ LEURS TRACES?

QUE VEUX-TU DIRE? NOUS LES SUIVONS DEPUIS KINGSBRIDGE, COMME VOUS.

MAIS LA PISTE S'EST ARRÊTÉE À L'ANSE DU ROCHER NOIR. OÙ L'AVEZ-VOUS REPRISE?

IL EST CLAIR QU'ILS VONT VERS L'OUEST. MÉDORIA SEMBLAIT ÊTRE LA PISTE LA PLUS LOGIQUE.

VOUS SEMBLEZ AVOIR EU LA MÊME IDÉE, APRÈS TOUT.

C'EST GRAND, MÉDORIA. ET TU ME DIS QUE VOUS ÊTES TOMBÉS SUR LEURS TRACES PAR HASARD?

L'AVATAR LUI-MÊME N'AURAIT PAS RÉUSSI UN TEL MIRACLE!

OÙ VEUX-TU EN VENIR, MON GARS?

APPELLE-MOI *CAPITAINE.*

ET TOI, COMMENT T'ES-TU RETROUVÉ ICI, « *CAPITAINE* »?

NOUS NOUS SOMMES ENTRETENUS AVEC LE ROI DE MÉDORIA. IL A EU UNE RENCONTRE ASSEZ.... *PARTICULIÈRE* AVEC NOS FUGITIFS IL Y A PRÈS DE DEUX MOIS.

NOUS NOUS SOMMES ENTRETENUS AVEC LUI NOUS AUSSI.

NON.

C'EST FAUX.

LE ROI VICTOR NE NOUS A PAS DIT AVOIR VU QUI QUE CE SOIT DE NOTRE ORDRE.

QU'Y A-T-IL?

RYUU DIT QUE LES PISTES SE SÉPARENT ICI.

ELLES SE SÉPARENT?

OUI, CAPITAINE.

D'APRÈS CE QUE JE VOIS, LE ETTIN EST PARTI DE *CE* CÔTÉ...

... ET LE NORKER A PRIS *CETTE* DIRECTION.

TU EN ES SÛR?

OUI. *J'EN SUIS SÛR*

IL Y A MÊME UN *BOUT DE CIGARE*, POUR LE PROUVER.

BIEN SÛR.

C'EST POURQUOI JE *DOIS* VOUS CONDUIRE EN LIEU SÛR.

D'ACCORD.

MAIS VOUS ALLEZ DEVOIR ME *PORTER.*

TRÈS BIEN, MADAME.

POURQUOI GREYFALCON VEUT-IL INSTALLER DES *PIÈGES* DANS CETTE TOUR? CET ESCALIER REPRÉSENTE POURTANT UNE DIFFICULTÉ SUFFISANTE!

HUMPF! JE N'AVAIS PAS REMARQUÉ.

CECI EST UNE *MAISON DE GUÉRISON,* MESSIRE CHEVALIER!

DE QUEL TRAITEMENT AVEZ-VOUS BESOIN?

BANG

Astaroth

CLAC

--- MAIS ÇA LEUR ARRIVE.

BOUM!

AAAH!

WHOMP

FIOU!

HA! HA!

BIEN FAIT POUR TOI, ESPÈCE DE PUSTULE BORGNE!

HÉ!

HUMPF!

LA MAIN DE FER!

TU AIMES NOS DÉGUISEMENTS?

ILS VIENNENT DE CHEZ LE TAILLEUR QUE TU AS FAIT TAIRE POUR NOUS, CE RAT COUINEUR. NOUS DEVRIONS TE REMERCIER.

TU ME REMERCIERAS SUR LE *GIBET*, ASSASSIN.

JE NE DIRAIS PAS ÇA...

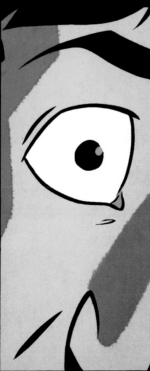

NE BOUGE PAS! JE VAIS TE LANCER LA CORDE ET TE REMONTER JUSQU'ICI, MAIS SEULEMENT SI TU TE RENDS, UNE FOIS EN HAUT.

JAMAIS!

CE QU'ELLE EST *OBSTINÉE!*

POURQUOI TIENT-ELLE TANT À CETTE CARTE MARINE TOUTE USÉE?

QU'Y A-T-IL SUR CETTE ÎLE D'ASTAROTH?

MON FRÈRE! JE CROIS.

ALORS, TU NE FAIS PAS QUE *NOUS* FUIR.

TU POURCHASSES AUSSI GREYFALCON.

IL A KIDNAPPÉ MON FRÈRE. *ET VOUS ET VOS DRAGONS L'AVEZ AIDÉ!*

JE NE SUIS PAS À SON SERVICE, MAIS À CELUI DU TRÔNE.

ET LA REINE VEUT TA TÊTE.

ET MOI, JE VEUX RETROUVER MON FRÈRE, ESPÈCE DE BRUTE SANS CŒUR!

JE NE PEUX PAS T'AIDER, POUR ÇA.

MAIS LAISSE-MOI TE REMONTER ET JE DEMANDERAI À LA REINE SON INDULGENCE.

J'AIMERAIS MIEUX MOURIR!

TU ES COURAGEUSE, MAIS PAS À CE POINT.

SI JE DOIS DESCENDRE POUR TE RATTRAPER, TU VAS LE REGRETTER, PETITE...

JE CRAINS QU'IL N'AIT PERDU SON ŒIL.

ET CETTE CICATRICE NE GUÉRIRA JAMAIS TOUT À FAIT.

MAIS IL VIVRA ET SERVIRA VOTRE MAJESTÉ DURANT DE NOMBREUSES ANNÉES.

EN CETTE HORRIBLE SOIRÉE, RACCROCHONS-NOUS AU MOINS À CETTE BÉNÉDICTION.

LES ASSASSINS SE SONT ENFUIS?

ILS ONT SAUTÉ DE LA TOUR.

LE PLAN DU CHAMBELLAN GREYFALCON POUR RENFORCER LA SÉCURITÉ AUTOUR DU TRÉSOR ÉTAIT PEUT-ÊTRE JUDICIEUX, APRÈS TOUT.

G...

IL S'AGITE, MADAME.

GR...

... ET C'EST À CE MOMENT QUE MESSIRE FRAYNIR M'A ENVOYÉ À VOTRE RECHERCHE.

ILS ONT CONTINUÉ DE SUIVRE LES TRACES DU ETTIN ET DU NORKER.

PEUT-ÊTRE QU'*EUX*, ILS AURONT PLUS DE CHANCE.

VOUS ÊTES BIEN SÛR QUE VOUS NE VOULEZ PAS MON CHEVAL, CAPITAINE? JE MARCHERAIS AVEC PLAISIR À VOTRE PLACE.

JE NE MÉRITE PAS DE MONTER À CHEVAL, PHINÉAS, PUISQUE J'AI PERDU LE MIEN.

LA REINE DEVRAIT PRENDRE AUSSI MON ÉPÉE ET MA CAPE ET ME RENVOYER.

IL SERA DÉÇU DE MOI.

ENCORE UNE FOIS.

« IL », MESSIRE? VOUS VOULEZ DIRE « ELLE », LA REINE MAGDA?

HUM? OUI, BIEN SÛR.

LA REINE.

NOUS RATTRAPERONS CETTE FILLE, CAPITAINE. VOUS VERREZ. PERSONNE NE RIDICULISE LES DRAGONS DE LA REINE.

NOUS LA POURCHASSERONS JUSQU'AU FOND DE L'OCÉAN, S'IL LE FAUT.

L'OCÉAN...

QUELQUE CHOSE *M'ÉCHAPPE*, PHINÉAS. QUELQUE CHOSE *D'IMPORTANT*.

JE SAIS MANIER L'ÉPÉE, SUIVRE DES ORDRES ET EN *DONNER*, MAIS JE N'AI JAMAIS EU D'IMAGINATION POUR LES ÉNIGMES.

CETTE FILLE, LE FRÈRE DONT ELLE PARLE, ASTAROTH, GREYFALCON... C'EST UNE *ÉNIGME*.

IL Y A *QUELQUE CHOSE* QUE JE N'ARRIVE PAS À SAISIR.

MAIS JE NE *TROUVE* PAS.

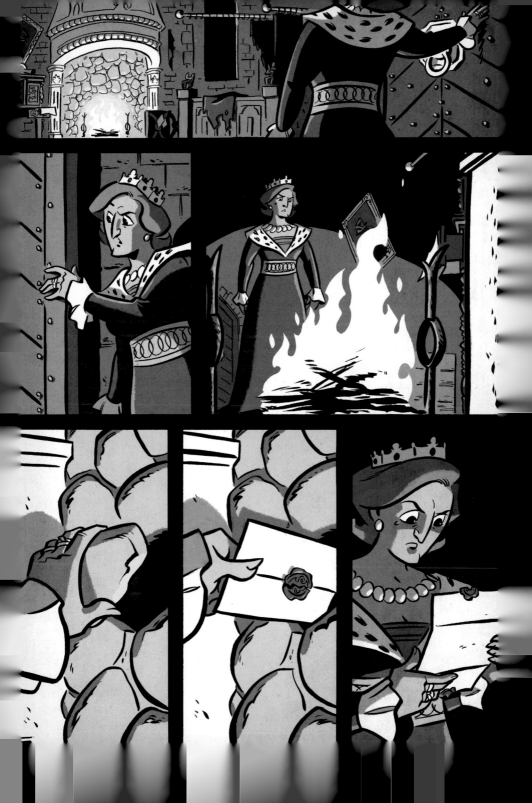